CW00869194

Come Bronwen ha riavuto il suo sorriso

Di Bronwen Elizabeth Madden
Illustrazioni a cura di RKS Illustrations

ISBN: 978-1-952657-05-4

Come Bronwen ha riavuto il suo sorriso

Dedicato a mia nonna, Sheila James.

Vorrei ringraziare le seguenti persone
per il loro sostegno e la loro ispirazione:
Pam Becker, Catherine Pearson e Naomi Minahan.

Prima parte:
Un sorriso perduto

Improvvisamente, e senza alcun preavviso, Bronwen perse il suo sorriso.

Oh, dove era andato il suo sorriso?

Era stato rubato?

Chi avrebbe potuto rubarlo?

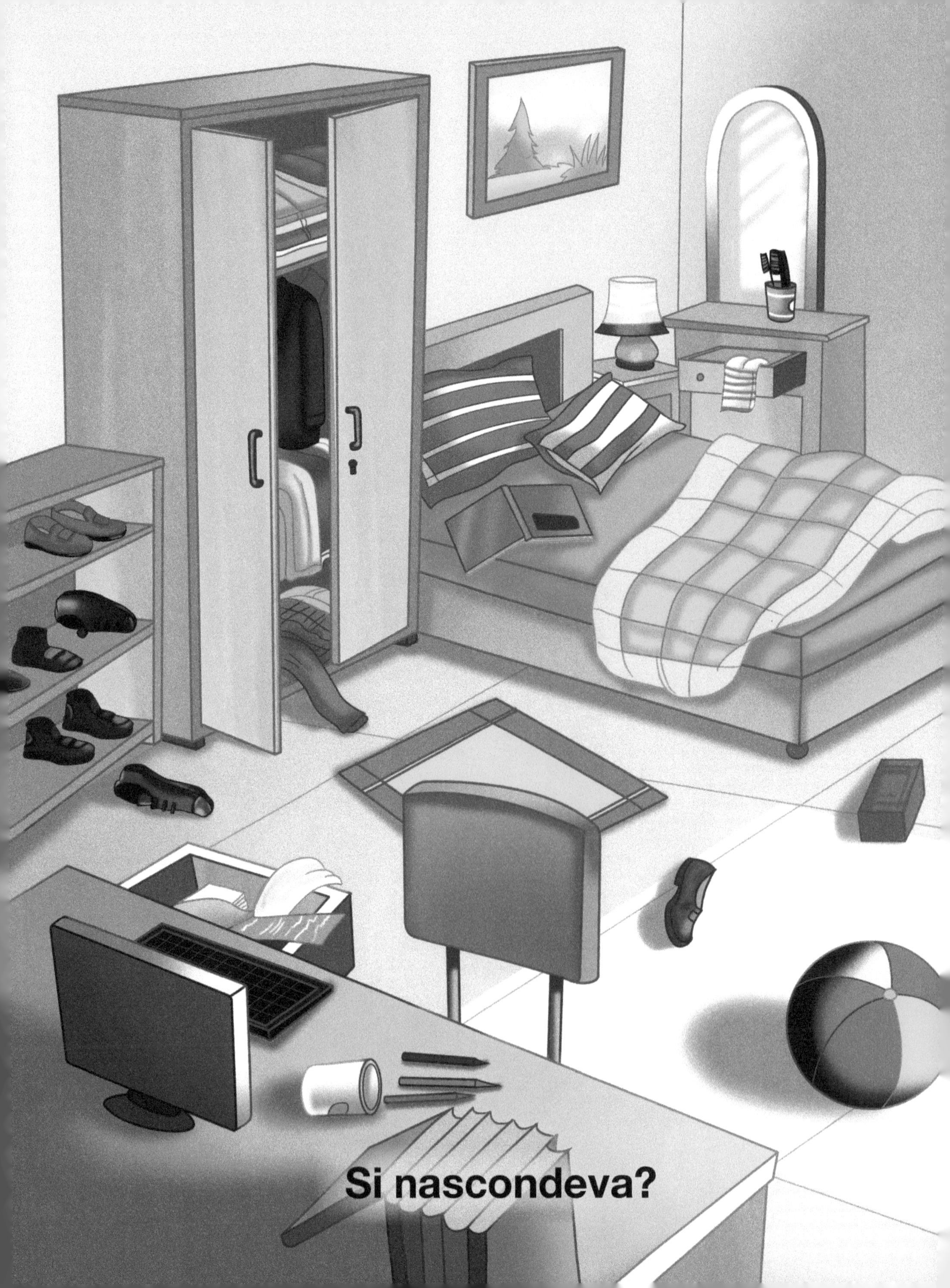
Si nascondeva?

Dove avrebbe potuto nascondersi?

L’aveva mangiato Fluffy?

Doveva essersi perduto.

Seconda parte:
A caccia di un sorriso

Era sotto il letto?

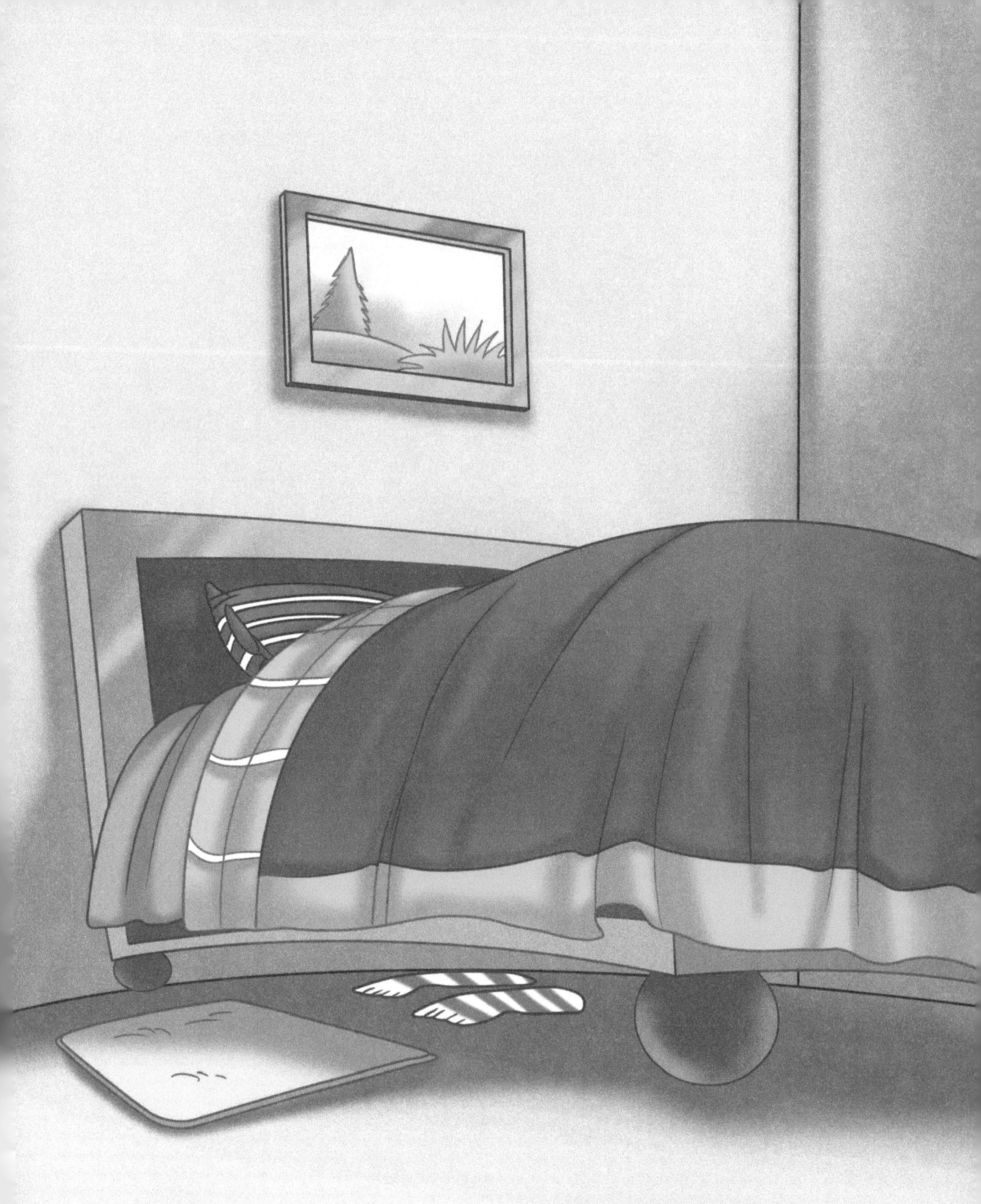

No, ma cosa c'è sotto il letto?

Era nell'armadio?

No, ma cosa c'è nell'armadio?

Era sotto il cuscino del divano?

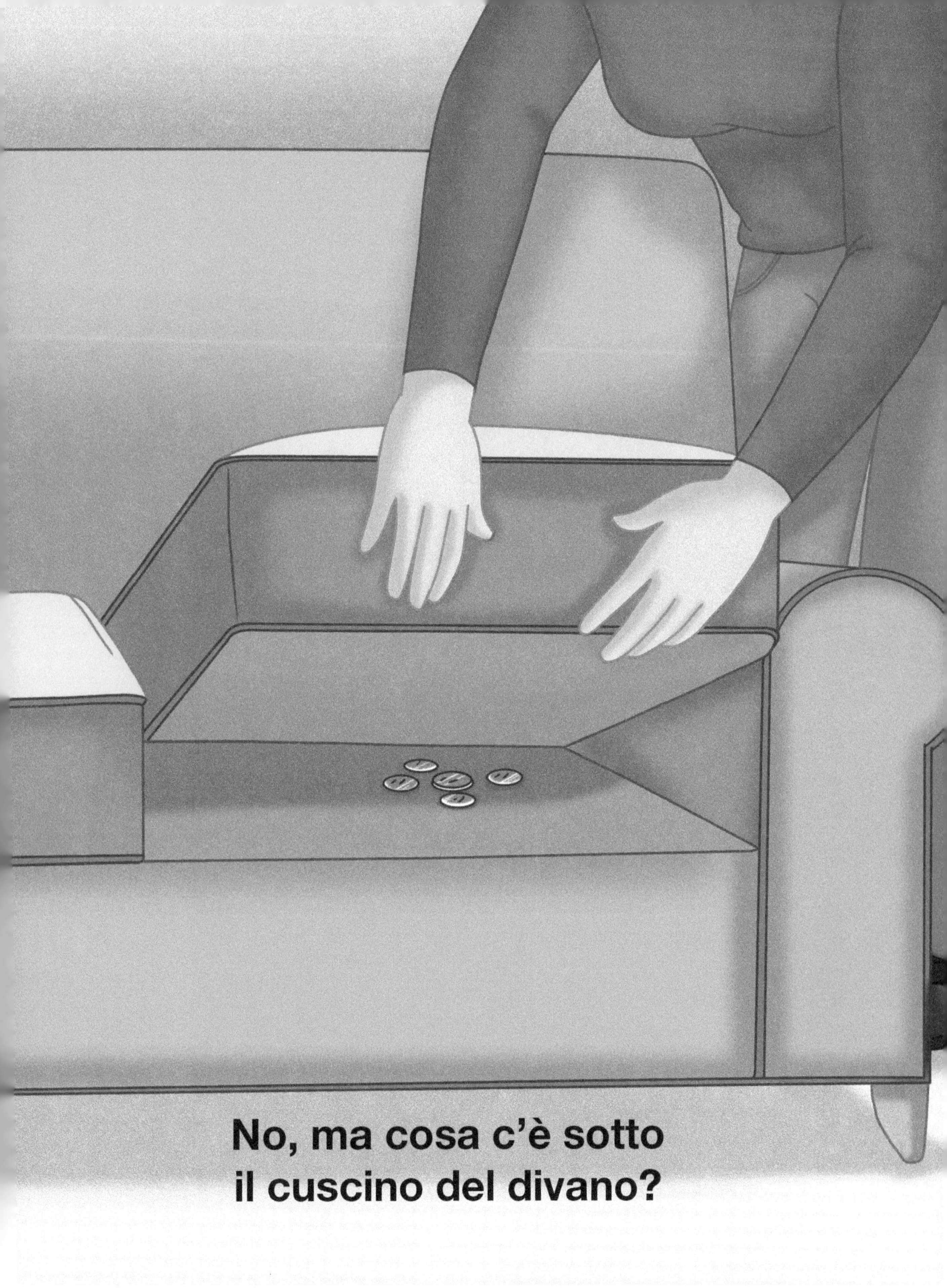

No, ma cosa c’è sotto
il cuscino del divano?

Era nel cesto della biancheria?

No, ma chi c'è nel cesto della biancheria?

Terza parte:
Un sorriso ritrovato

Forse il suo sorriso non si
trovava in un posto particolare?
Qualcuno suonò al campanello
e Bronwen andò a rispondere.

La sua amica Catherine
era in piedi davanti alla porta.
Aveva un gran sorriso in volto.

E in quel momento,
Bronwen ritrovò il suo sorriso!

Il sorriso è un dono di gentilezza che facciamo agli altri e a noi stessi.

E ora, a chi puoi regalare un sorriso?

Bronwen Elizabeth Madden è l'autrice di *Come Bronwen ha riavuto il suo sorriso*. È originaria dell'altopiano d'Ozark, nelle campagne del Missouri.

CPSIA information can be obtained
at www.ICGtesting.com
Printed in the USA
BVHW021727210520
580105BV00009B/33